这里是河北

河湖纵横

HE HU ZONGHENG

主编 丁伟 徐凡
著 付聪

河北出版传媒集团
花山文艺出版社
方圆电子音像出版社

河北·石家庄

图书在版编目（CIP）数据

河湖纵横 / 付聪著. -- 石家庄：花山文艺出版社，2023.12
（"这里是河北"丛书 / 丁伟，徐凡主编）
ISBN 978-7-5511-0518-7

Ⅰ.①河… Ⅱ.①付… Ⅲ.①散文集－中国－当代 Ⅳ.①I267

中国国家版本馆CIP数据核字(2023)第195103号

丛 书 名：	"这里是河北"丛书
主　　编：	丁　伟　徐　凡
书　　名：	河湖纵横
著　　者：	付　聪
出 版 人：	郝建国
出版监制：	陆明宇　唐　丽　李　利
出版统筹：	李　彬　王玉晓
责任编辑：	冯　锦
特约编辑：	蒋海燕　杨玉岭
责任校对：	李　伟
封面设计：	书心瞬意
装帧设计：	李关栋　张　曼
美术编辑：	胡彤亮　王爱芹
出版发行：	花山文艺出版社
	方圆电子音像出版社
销售热线：	0311-88643299/96/17
印　　刷：	保定市正大印刷有限公司
经　　销：	新华书店
开　　本：	710毫米×1000毫米　1/16
印　　张：	13
字　　数：	146千字
版　　次：	2023年12月第1版
	2023年12月第1次印刷
书　　号：	ISBN 978-7-5511-0518-7
定　　价：	78.00元

（版权所有　翻印必究·印装有误　负责调换）

融媒体电子书

https://h5.fangyuanpress.com/hh.htm

目 录

第一单元
湖光潋滟

壹　华北明珠白洋淀　　/ 002
贰　蓝色宝石衡水湖　　/ 028

第二单元
河脉绵延

壹　水利史诗大运河　　/ 048
贰　燕赵儿女母亲河　　/ 078
叁　血脉相连京津冀　　/ 089
肆　南水北调润燕赵　　/ 096

第三单元
水库倩影

壹　北国三峡潘家口　/ 108
贰　京畿明珠官厅湖　/ 123
叁　北方桂林易水湖　/ 131
肆　惹人遐思京娘湖　/ 140
伍　宛如画境燕塞湖　/ 146
陆　沙河名片秦王湖　/ 152

第四单元
湿地惊艳

壹　闪电河国家湿地公园　/ 162
贰　小滦河国家湿地公园　/ 175
叁　康巴诺尔国家湿地公园　/ 180

第五单元
冀景撷英

白洋淀　/ 186

衡水湖　/ 188

岗南水库　/ 190

桑干河　/ 192

拒马河　/ 194

潘家口水库　/ 196

易水湖　/ 198

京娘湖　/ 200

扫码听书

扫码看视频

第一单元

湖光潋滟

壹 >> 华北明珠白洋淀

"淀阔苇绿凭鱼跃,天高气清任鸟飞。"用这句话形容河北最大的内陆湖白洋淀再恰当不过。乘一艘小艇,穿梭在白洋淀的芦苇间,天高气清,水波粼粼,淀风习习,如梦似幻,如人在画中游。

白洋淀也是华北地区最大的湿地生态系统,自古就物产丰富、风景秀丽。

因为其对生态环境的影响巨大,还被称为华北地区的"空调器""晴雨表"。白洋淀驰名中外不仅因为这些,更因为其可歌可泣的革命历史。在抗日战争时期,白洋淀人民成立了水上游击队——"雁翎队",利用河湖港汊开展游击战争,威震敌胆。由徐光耀小说改编成的电影《小兵张嘎》,著名作家孙犁笔下的《荷花淀》,将白洋淀人民舍生忘死的革命精神广泛弘扬。革

◎ 右页图　航拍白洋淀风光／视觉中国　供图

第一單元 湖光潋灩 003

河湖纵横

命老区白洋淀的英雄儿女在战争年代抗击日寇、保家卫国；在和平年代砥砺奋进、建设祖国，使雁翎队英勇顽强的精神永远流传。

1. 宛如人在画中游

白洋淀湖面辽阔，一眼望去无边无际、烟波浩渺。白洋淀不是单体湖泊，其三百六十六平方千米的水域由一百四十多个淀泊组成，三千七百多条沟壕纵横交错。

白洋淀的美辽阔、悠远，但是绝不单调。

因为白洋淀是一个充满生机的大家庭。"淀"的意思是"浅的湖泊"，水足够浅，光才能照进去。有光，水生植物才能生长。而各种各样的水生植物正是各类鱼虾的营养来源。鲑鱼、鲤鱼、青鱼、虾、河蟹等四十多种水产是淀区人民的一大经济来源。而丰富的水生植物也是野鸭、大雁等美丽生灵的最爱。放眼望去，白洋淀上水草丰茂，荷叶田田、鱼翔浅底、鹰击长空，一派生

◎ 左页上图　白洋淀河汊交错/张学农　摄
◎ 左页下图　骨顶鸡在白洋淀越冬/杜江云　摄

机勃勃。

　　除了天然美景，当地人民因势就形设计的六大景区使白洋淀的美层次更加丰富。鸳鸯岛民俗文化景区、荷花观赏景区、生态游乐景区、休闲娱乐景区、码头观光景区、民俗村观光景区各有特色。

　　白洋淀的王牌景点鸳鸯岛民俗文化景区最受情侣们青睐。顾名思义，鸳鸯岛以情侣文化为主题，神圣的"月老祠"、宏伟壮观的"天下第一锁"、珍奇鸳鸯聚集地"鸳鸯池"，以及投币许愿的"问缘台"都是情侣

们的打卡胜地。岛内还有异彩纷呈的表演：鱼鹰捕鱼表演、水乡婚俗表演、白洋淀民俗表演等，令人大开眼界。在景区一角，民间艺人正在展示白洋淀特有的芦苇编织，感兴趣的游客还可以跟老艺人学上一手。夜幕降临，篝火晚会便拉开帷幕，人们忘我地跳起舞来。

荷花观赏景区最受摄影爱好者们青睐。"接天莲叶无穷碧，映日荷花别样红"，最能挑起游人兴奋的神经，而驾一叶小舟"误入藕花深处"，更是令人心旷神怡。

◎ 下图　泛舟芦苇间/陈伟　摄

除了自然景观，白洋淀还有不少古代帝王到此避暑、水猎所留下的行宫遗迹和民间传说。相传白洋淀的著名景点"捞王淀"，就是乾隆皇帝落水后被渔民救起的地方。

白洋淀民俗村中的民俗生活丰富多彩。

因为除了汉族外，这里还生活着蒙古、回、维吾尔、苗、彝、壮等十多个少数民族的同胞。三十九个纯水村、一百三十四个淀边村，星罗棋布点缀在白洋淀。村民们的民俗生活和节日活动异彩纷呈。观赏水乡美景，体验少数民族风情，定然使来到白洋淀的游客们不虚此行。

畅游白洋淀，不但眼睛忙不过来，嘴巴也忙不过来。这里的鱼虾肥美鲜嫩，是游客们必然品尝的佳肴。如果这些美食是和渔民一起下淀捕鱼的劳动成果，则更是妙趣横生。

◎ 右页上图　白洋淀荷花大观园／郑新江　摄
◎ 右页下图　白洋淀荷花卓然而立／刘军英　摄

湖光潋滟 第一单元

河湖纵横 010

2. 世世代代芦苇缘

要问,白洋淀有多少苇地?不知道。每年出多少苇子?不知道。只晓得,每年芦花飘飞苇叶金黄的时候,全淀的芦苇收割后垛起垛来,在白洋淀周围的广场上,就成了一条苇子的长城。这时的白洋淀是芦苇的世界。依托得天独厚的芦苇资源,白洋淀的人们世世代代和芦苇结缘,靠芦苇而生。

白洋淀的苇席有多好?据说唐朝时,白洋淀苇席就已经作为贡品呈献给皇上了。

到了宋朝及至明清,白洋淀的苇席更是做工精细、款式多样。新中国成立后,随着经济的发展,人们生活方式的改变,白洋淀苇席与时俱进,有了新的面貌,焕发了新的生命力。

◎ 左页图　俯瞰白洋淀荷花大观园 / 赵瑞光　摄

◎ 右页图　芦苇／视觉中国　供图

其实，白洋淀的苇席不仅仅是炕席。随着生活条件的改善，人们还用苇席做天花板、墙板、墙纸，为苇席编织这一古老的传统手工艺赋予新的内涵。

制作天花板、墙板等，需要上等的"栽苇"。所谓"栽苇"就是人工栽植的芦苇。这可能出乎很多人的意料。水里野生的芦苇，一般长得比较低矮、秆子比较脆，统称"柴苇"，主要用于编织渔箔、泥水箔、苫盖、苇帘等。而人工栽苇是栽在水边的台田上的，所用的肥料是取之不尽用之不竭的淀底淤泥。这种栽苇长成后，秆子高四米以上，皮又薄又白，韧性大，根部直径与顶端直径差距小，是做高端苇编物品的上等材料。

由于白洋淀得天独厚的自然条件，在这里种植芦苇投入小、产出大、品质高，芦苇成为当之无愧的"铁杆庄稼"。

除了日常生活中的实用品，白洋淀人还把苇编搬上了艺术的殿堂。在众多苇编工艺品中，苇编工艺画又被单独作为一个门类进行欣赏和品评。几根芦苇、几片苇叶，经过苇编艺人的裁剪、熨平、粘贴，就成了一幅幅精美画卷。芦苇天然的色泽和质感，使苇编工艺画古朴、素雅，传递出纯净天然的美感，有着独特的艺术价值和魅力。相传，在明朝

◎ 余晖映照白洋淀／郑新江　摄

初年，白洋淀人就开始制作苇编工艺画了，至今已经有六百余年的历史。这些制作精美的苇编工艺品不仅畅销全中国，还远销日本、法国、美国、意大利等国家，很受外国友人的青睐，成为中国文化的一张亮丽名片。

2009年6月，安新县白洋淀苇编被列入河北省第三批省级非物质文化遗产名录。

河湖纵横

3. 白洋淀老手艺

除了苇编,勤劳智慧的白洋淀人还传承着许多无与伦比的精湛技艺。到白洋淀旅游,在赏美景、品美食之余,如果能领略几个当地的绝活儿,一定会让人惊叹不已。

捕鱼曾是白洋淀人重要的谋生技能之一。

他们发明了各种各样的捕鱼用具,创造了各种各样的捕鱼方法,随着历史的沉淀,逐渐形成了丰富多彩的渔猎文化。他们最普遍、最灵活的捕鱼工具叫作鱼卡,是当地人的发明。首先要削一个两头尖、五厘米

◎ 左图　芦苇飞鸟/视觉中国　供图

长、一厘米宽的竹篾薄片，然后将其插入苇子秆做成的卡圈里，卡圈中间塞上由白面、高粱面混合制成的饵条。最后，把做好的多个卡子按一定距离绑在一条长绳上。鱼卡下到水里，当鱼吞食鱼饵时，卡圈被咬断，卡子随之张开，绷住鱼嘴，鱼就被抓住了。就下鱼卡的地方来说，下在什么地方逮什么鱼，在白洋淀都有说法。捕不同种类的鱼，用的鱼卡卡头大小也不同。而这只是其中的一种方法，白洋淀的捕鱼技艺有三四十种，技艺里处处透着水乡人的智慧。

与丰富的捕鱼技艺并驾齐驱的，是白洋淀传统的造船技艺。

"靠水不治鱼，造船不驶船。"白洋淀有一个奇特的造船之乡，这个村祖祖辈辈只造船不捕鱼，这就是马家寨。在这个小村里，上到七八十岁的老人，下到十来岁的娃娃，人人都有一手造船手艺。马家寨的造船业在宋朝便有记载。清朝乾隆游颐和园所乘坐的龙舟便是马家寨工匠所造。

2009年6月，安新县马家寨传统造船技艺被列入河北省第三批省级非物质文化遗产名录。

◎ 右页上图　戏水捕鱼／高峰　摄
◎ 右页下图　在荷花上振翅飞翔的须浮鸥／李达　摄

第一单元 湖光潋滟 019

◎ 白洋淀风光 / 任志伟　摄

第一单元 湖光潋滟 021

4. 白洋淀喝上黄河水

白洋淀作为雄安新区最大的生态水体,是雄安新区实现可持续发展的生态之基。

白洋淀之于雄安,犹如西湖之于杭州,城淀共生共荣,密不可分。

一直以来，白洋淀对于维护华北地区生态系统平衡、调节气候发挥着不可替代的生态功能，被称为"华北之肾"。如何维护好这个宝贵的"肾"，是一个难题。从20世纪80年代起，白洋淀就被缺水所困扰，主要原因在于补给量少、损失量大。白洋淀的自然补给主要来自上游河道和降水，而这两项都不充沛。黄河改道后，白洋淀干旱频发，河道断流，再加上水利工程的兴修，使鱼类洄游的通道被切断，致使淀中鱼的种类和数量减少，生态系统遭到严重破坏。

◎ 左页图　马家寨村造的渔船静静地停在湖边／视觉中国　供图
◎ 下图　荷塘泛舟／赵瑞光　摄

河湖纵横 024

为保护好白洋淀,发挥白洋淀的生态功能,相关部门全面开展白洋淀生态修复工作。先后采取上游水库补水和跨水系调水等措施。2006年起,"引黄济淀"应急生态调水工程实施,白洋淀首次"喝上"了黄河水。

白洋淀是我国北方著名的淡水鱼产区,我国90%以上的淡水鱼类都能在白洋淀找到。

自然捕捞收益的减少促使人工养殖兴起,但养殖密度过高,超出了白洋淀的生态承载能力。白洋淀的水产养殖大多是投饵型养殖,污染较大。没被摄食的残饵以及鱼类排泄物中富含氮、磷等营养物质,会促使浮游藻类大量繁殖,使水体溶解氧量下降,富营养化,严重的会造成鱼类死亡。而且,养殖用的围堤、堤埝是用土堆起来的,给行洪带来隐患。

◎ 左页图　白鹭在白洋淀流连忘返／贺友顺　摄

禁渔，迫在眉睫。2018年9月发布了《安新县人民政府关于禁止白洋淀水产养殖的通告》。这一道"清渔令"，为安新县几十年的水产养殖历史画上了句号。

© 白洋淀湿地长廊/视觉中国　供图

经过多方不懈努力，白洋淀水质进入全国良好湖泊行列，"华北之肾"功能迅速恢复，生态涵养能力极大提升，也为雄安新区建设发展提供了强有力的生态支撑。

▎贰 >> 蓝色宝石衡水湖▎

烟波浩渺，水天相连，万鸟翻飞，映日花红。衡水湖与华北明珠白洋淀同样闻名遐迩。

要论面积，它不及白洋淀，但白洋淀是由一百四十多个相互联系的大小淀泊组成，而衡水湖是华北单体最大的淡水湖泊。

衡水湖北倚衡水市区，南连冀州古城，因为风景极美，又对调节京津冀气候及生态质量影响巨大，被评为"京津冀最美湿地"，又有"京南第一湖""华北绿明珠""东亚蓝宝石"等众多美称。

◎ 右页图　衡水湖／宗佳怡　摄

1. 衡水湖的形成

衡水湖俗称"千顷洼"或"千顷洼水库",形象地表达出了它的广阔。

七十五平方千米的湖泊面积,相当于十一个杭州西湖。这么大的衡水湖是怎样形成的呢?这里流

传着一个"大禹挖出衡水湖"的美丽传说。

相传，衡水湖是大禹治水取土的地方，衡水湖便是大禹治水留下的"禹迹"。衡水湖南岸的冀州曾经是"九州之首"，河北的简称"冀"就是从这里来的。当年，大禹在冀州城北的地上掘了一铲土，随即方圆几十里内的土竟然都飞到了大禹设计的堤埝一线，成功地挡住了洪水，从而也留下了这片洼地——衡水湖。

◎ 下图　衡水湖水天一色／任振潮　摄

河湖纵横 032

◎ 左页图　初雪后的衡水湖银装素裹／张春霜　摄

虽然神话故事不是历史，但神话传说也不会毫无根据，往往有历史的影子作为底色。

《史记》记载"禹行自冀州始"，看来衡水湖的历史真是源远流长。

据考证，衡水湖所在的地方地势本来就低洼，古黄河、古漳河、古滹沱河和滏阳河等众多河流都曾经流经这里。衡水湖在历史的变迁中积水而成。其间，从古黄河、漳河古道到湖泊，从湖泊到农田、农场，又从农场到湖泊，可以说衡水湖经历了沧海桑田式的剧烈变迁。

"衡水湖"一名正式得来是由于行政区划的变更。衡水县于隋朝开皇十六年（596年）设置。因漳河水从衡水县西南入境后，不是东流入海，而是向北折去，然后入海，古人就把这一段在衡水县境内的漳河水称为"衡水"。

20世纪50年代，千顷洼灌溉蓄水工程修建后顺理成章地改名为衡水湖蓄灌工程，"衡水湖"至此得名。

◎ 雪后衡水湖宁静祥和／孔令龙 摄

2. 鸟的乐园

在阳春三月的一天，衡水湖天将破晓，忽然传来一声高亢洪亮的鸟鸣，它的同伴立刻回以鸣叫和它呼应，接着此起彼伏，欢快的鸣叫声响彻衡水湖。这些大嗓门儿的鸟儿就是国家一级保护鸟类丹顶鹤。

"鹤鸣于九皋，声闻于天。"丹顶鹤的叫声充满灵性，仿佛穿透天宇。

> 丹顶鹤以它优美的身姿和洪亮的叫声装点着衡水湖。

衡水湖是华北平原唯一保持沼泽、水域、滩涂、草甸和森林等完整湿地生态系统的自然保护区，在这里生活的物种十分丰富，可以说是北温带动植物的聚集地。其中鸟类最多，有三百多种。像丹顶鹤这样的国家一级保护鸟类有二十种，白鹤、东方白鹳、黑鹳、大鸨、金雕、白肩雕，一个比一个长相优美奇特。还有大天鹅、小天鹅、鸳鸯、白枕鹤、灰鹤等六十三种国家二级保护鸟类。随着环境的改变，这个数字还会继续变化。

◎ 右页上图　暮色下灰鹤归巢／霍恒茂　摄
◎ 右页下图　白天鹅共聚衡水湖／霍恒茂　摄

湖光潋滟 第一单元

◎ 左图　衡水湖大雁与天鹅和谐共处／霍恒茂　摄
◎ 下图　大雁在衡水湖中嬉戏／张学锋　摄

　　鸟儿们喜欢这里，是因为这里使它们丰衣足食。绿藻、蓝绿藻和硅藻等四百多种浮游植物荡漾在衡水湖面，而浮游动物更多，每一升衡水湖水中能有四千个浮游动物。它们是鸟儿们的最爱。每年2—3月份，衡水湖湿地万鸟齐飞，"鸟浪"美景十分壮观。

衡水湖最不缺的就是鱼，有三十多种鱼类生活在这里，每年产量达两千吨。这里也是品种众多的濒危两栖类、爬行类、哺乳类等野生动物的家，其中青头潜鸭是比大熊猫还珍贵的极危物种，全世界仅存一千余只，有三百多只生活在衡水湖。另外，这里还有四百多种昆虫，所以衡水湖被人们称作"物种基因库"。

3. 京津冀天然氧吧

衡水湖百鸟兴旺、水美鱼肥。

这里的负氧离子含量最高值可达每立方厘米四千六百个，是普通城市公园的六十倍，被称为京津冀天然氧吧。清爽宜人的自然风光，得天独厚的生态格局，为马拉松、酷跑健身、环湖骑行、航空跳伞、皮划艇等运动项目提供了天然赛场。

4. 目不暇接的自然景观

衡水湖到底有多美，从自然景观的名字里就能听出来。十里风荷、长堤霁雨、碧水银湾、落日熔金、西湖鹭鸣、烟波垂钓、兵法锦城、佛法道安、冀州老街、信都古韵、竹林晨曦、盐河怡年……单说落日熔金，每当金色的夕阳拖着肥胖的身子到湖面沐浴，不管怎么小

◎ 右页图　衡水湖春色／霍恒茂　摄

湖光潋滟 第一单元 041

河湖纵横

◎ 左图　衡水湖湿地鲜花盛开／霍恒茂　摄

心翼翼，还是一点点融化在湖水里，湖水被染红了，蓝天白云也统统映成了红色。这时万鸟翻飞，像海浪一般冲向天际红色最深处，旋即又飞回来，纷纷鸣叫着，在水草间嬉戏。不管它们的羽毛是什么颜色，这时被金色霞光映衬着，统统成了曼妙的黑色剪影。

　　衡湖湾码头像一弯新月镶嵌在湖水中。一艘艘游轮、画舫和各式各样的快艇从这里把游客向荷花园送去。三三两两的斑嘴鸭迎面而来与游客们打招呼。藕花深处满眼浓翠欲滴，荷花争奇斗艳，有六十多个品种。

　　位于衡水湖东北角的三生岛上，可以近距离欣赏鸟儿筑巢、昆虫捕食。日光森林、沼泽花园、踩踩滩涂、闸水乐园、草甸迷宫五个园区，向游客展示一个名副其实的户外湿地博物馆。

◎ 右页图　衡水湖冰面上的红嘴鸥／邢宝臣　摄

位于衡水湖东湖水域的梅花岛是衡水湖最大的岛屿，是因为形状像梅花而得名。而衡水湖唯一可以通过陆路进入的湖心岛樱花岛，则是因为满岛的樱花树而得名。在衡水园博园的衡水湖湿地生态馆内，生态文明、水蕴湖成、水生万物、鸟类天堂、守护家园五部分展陈内容，以生动的形式，让游客了解衡水湖的前世今生。衡水湖四季环幕影院和3D影院，给游客带来沉浸式体验。

或在夕阳下的衡水湖畔踩金踏玉，每一步都带出细碎的光芒；或荡舟荷塘，在荷花芦苇的更深处漫溯；或极目远眺，欣赏鸟儿像跳动的音符一样在波光粼粼的湖面漫步……

衡水湖的美，丰富、多面、万言难尽，是永远荡漾在人们脑海深处的遐想。

扫码听书

扫码看视频

第二单元

河脉绵延

壹 >> 水利史诗大运河

"通南北，贯古今，一条大运河，半部华夏史。"中国大运河，从吴国夫差开凿邗沟，魏惠王下令鸿沟水系连接黄淮，到修建郑国渠，再到隋唐大运河全线贯通，京杭大运河裁弯取直……经两千年接力建设，成为世界上开凿时间较早、里程最长、使用时间最久的人工运河。它是地球上对自然地理面貌改变最大的人类工

程，堪称"活着的文化遗产走廊"。

约占中国大运河全长六分之一的大运河河北段，总长五百三十多千米，流经廊坊、沧州、衡水、邢台、邯郸五市。大运河河北段遗址线路清晰，体系完整，拥有较为完整的人工河道和堤防体系，代表了我国北方大运河遗产的特色，是我国大运河体系中不可或缺的重要文化遗产。

◎ 盛世腾龙（大运河景县段）/ 郑文景 摄

1. 生态美景入画来

蓝天河面交相辉映，白云飞鸟悠然掠过……

大运河犹如一条蓝色巨龙蜿蜒盘旋在河北大地上。

行走在大运河沿岸，无论城市还是乡村，满眼皆是绿色，或大或小的休闲公园、生态游园点缀其间，一派盎然生机。在河北的很多城市或者乡镇，已经实现了旅游通航，大运河景观成为当地的地标。乘坐各种造型美观的游船行驶在开阔的河面上，放眼望去，大运河与天边相接，仿佛永远没有尽头，感动和震撼之中，更升腾起一种豪迈。大运河，人类历史上最伟大的工程之一，人间奇迹！

如今，大运河在祖国召唤下变得更加明媚灿烂，不仅为祖国航运事业建功立业，还以丰富的文化遗存和精神内涵教育感召着中华儿女。为保护运河、利用

◎ 右页图　乘坐游船游览沧州市区／陈秀峰　摄

河脉绵延

河湖纵横

◎ 左页上图
运河新地标南川楼／陈秀峰　摄
◎ 左页下图
南运河青县段新景观——盖宿铺红色渡口／王经　摄

好运河文化，各地在运河沿岸建设了大运河文化景观带、遗址文化带，使乡村风光与特色产业相串联，众多特色文化小镇和森林公园、遗址公园相穿插，景观节点丰富多彩。

在沧州博物馆"大运河北"展厅里，有全省规模最大、最完整的大运河河北段专题展。金代磁州窑白釉划花瓷碗、黄釉刻鱼纹盆、黄釉划花莲纹盆……随着技术人员在大运河河道里探测到一个个沉船点，一艘艘古沉船被打捞起，一件件沉睡千年的瓷器重见天日。它们胎质细腻、光泽温润，用无声的语言讲述着千载之前的故事。

运河千载，生生不息。大运河正向游人展开一幅幅壮美的生态画卷，以其壮伟的身姿传递着美的信息。

2. 运河上的六分之一

"幡不离身，竿不落地，闪展腾挪，豪情万丈"，十余米高、几十斤重的道具在表演者的手中、肩上、脑门、下巴、项背等处上下翻飞、左右交替，这便是流传在廊坊香河安头屯村的民间花会中幡的表演场景。

安头屯中幡起源于隋唐，已经流传了一千三百多年。

这种表演的道具中幡，主干是一根十米多长的大竹竿，竿顶上悬挂着彩旗，飘着彩带，彩旗的正面绣着吉祥图案或者吉祥语，华丽热闹。这种创意来源于大运河上漕运船只上的帆。它的发明者便是大运河漕运船工们。我们不难想象，在漕运船只到达廊坊香河安头屯村一带，船靠码头，船工们用自制的中幡休闲娱乐的场景。像这种因运河而起，又因运河而兴的民间绝活儿，在大运河河北段沿线有很多。

大运河河北段是中国大运河的重要段落，承载着历史悠久、内涵丰富、独具特色的北方运河文化和燕赵文化。河北境内的大运河可分为：北运河、南运河、卫运河、卫河，以及永济渠故道遗址，建造时间跨越了一千八百多年。

◎ 右页组图　中幡表演 / 周景峰　摄

河脉绵延 第二单元 055

河湖纵横 056

◎九曲运河中国龙／刘克政　摄

河湖纵横 058

◎ 左图　漳河、卫河汇流后称卫运河／汪保忠　摄

要谈河北之于大运河的关系，还是要从"运"开始。顾名思义，大运河就是用来运输的河流。运输什么呢？最初用来运粮食，供打仗使用，后来又用来运输食盐。河北沧州是清雍正以前北方最大的盐运码头。到了明清，大运河河北段开始运输大宗的贸易商品。比如，将皮薄肉厚、核小汁多的沧州金丝小枣运输到南方和京城。沧州的泊头鸭梨含水量大，最怕磕碰，水运颠簸小、运量大，通过大运河水运到京城最合适不过。还有沧州青县盛产的蔬菜，也从大运河运输

到北京、天津。直到现在，沧州青县每年都要向京津输送优质蔬菜一百多万吨。河北的小麦、棉花、食盐、水果、蔬菜，北方的煤炭、砖石、生铁、粪肥、皮毛，南方的稻米、丝绸、茶叶、铁器、竹器、木料……都要通过大运河互通有无。

繁荣的运河贸易，催生了运河沿岸一座座城镇的诞生。

衡水的郑口、沧州的泊头，就是大运河河北段典型的因运河而兴起的城镇。

大运河河北段沿线众多的历史遗存、文物古迹、民间文化，记录着北方运河沿线人民的生活状态、精神内涵、审美情趣，是中国历史文化研究的"活化石"，也是大运河考古工作的实证资料。壮美生动的大运河河北段遗产长卷，向世人展示着中国劳动人民的勤劳智慧和顽强不息。

◎ 右页图　卫运河清河段／樊高瑞　摄

第二单元 河脉绵延

3. 运河最美"Ω"弯

大运河是河北沧州的母亲河，可以说沧州是大运河"运来"的城市。河北段五百三十多千米的大运河，沧州就占了二百一十五千米。而这二百一十五千米上，竟有二百三十多个弯，也就是说平均不到一千米就有一个弯。

那古代的水利工作者为什么对"弯"如此情有独钟呢？

工作者们是用弯道抵御河道海拔的落差，减缓水流的速度，减小水流对两岸堤坝的冲击力，保持船只在河面行驶的平稳。人们说的"三弯抵一闸"，就是指不用建水闸，用弯解决河道落差的问题。这充分体现了中国古代水利工作者的智慧。

大运河上一个个优美的弯，还在客观上催生了城镇经济的发展。这些曲曲折折的河道，正好可以形成避风的港湾。依托港湾，人们进行贸易交流，一个个城镇因运河弯道而繁华兴盛起来。沧州便是其中有代表性的一个。

二百三十多个弯如柔美的绿色飘带一般镶嵌在沧州大地，两岸或郁郁葱葱，或灯火辉煌，勾勒出一派生机勃勃的生态画卷。脍炙人口的古诗《夜过沧州》中"夜半不知

◎ 右页图　运河最美"Ω"弯／王经　摄

第二单元 河脉绵延 063

◎ 上图　南运河青县二十里河村运河金湾／视觉中国　供图

◎ 下图　航拍南运河沧州段／陈秀峰　摄

行近远，一船明月过沧州"的诗句，形象地反映了沧州航运的情景。九曲十八弯，弯弯有风景，这些弯有"几"字形的，有"S"形的，而最为沧州人津津乐道的还是位于大赵庄村北不远处那个大大的"Ω"弯。这个弯内土地肥沃，植被茂密，被沧州人称为宝瓶，千百年来滋养着沧州这一方人。在大运河一千七百多千米的里程中，沧州这个"Ω"弯是形状最周正的一个，所以被称为全国大运河最美河弯。如今，随着大运河文化带的建设，"Ω"弯一带被建设成了运河公园，园内林木葱茏，花草满园，还有休闲健身广场、儿童游乐园……成了沧州的一座地标。

4. 历时八年申遗梦圆

大运河具有河道距离长、流域范围广、修建年代久远、遗产类型丰富、利用功能多样、保存现状复杂等特点，保存下来的大运河相关遗存总数已超过一千一百处。2014年6月22日，中国大运河在第三十八届世界遗产大会上获准列入世界遗产名录，成为中国第四十六个世界遗产项目。最终列入申遗范围的大运河遗产分布在中国两个直辖市、六个省、二十五个地级市。申报的系列遗产分别选取了各河段的典型河道段落和重要遗产点，包括河道遗产二十七段，总长度一千零一十一千米，相关遗产共计五十八处。

◎ 左页图　沧州南运河金秋稻区／刘江涛　摄
◎ 上图　申遗点之一马厂炮台遗址／王经　摄

在河北段大运河申报的八处申遗点中，有"两点一段"共三处被定为世界文化遗产点（段），即衡水市景县华家口夯土险工、沧州市东光县连镇谢家坝，以及南运河沧州—衡水—德州段九十四公里遗产段。

这是继长城（山海关、金山岭）、明清皇家陵寝（清东陵、清西陵）、避暑山庄及周边寺庙群后，河北省拥有的第四处世界文化遗产。

申遗前期，河北省大运河联合申遗办公室对大运河河北段进行了拉网式调查，整理出大运河河北段沿线古码头、古城镇、古村落等遗址三百二十五处，附属文物点一百多处，衍生文化遗产项目二百多处。该如何选出最能代表河北段大运河特色的申遗点呢？

"运河三老"之一、古建筑学家罗哲文指出：大

运河河北段遗址线路清晰、体系完整，拥有较为完整的人工河道和堤防体系，代表了我国北方大运河遗产的特色，是我国大运河体系中不可或缺的重要文化遗产。河北段大运河被选入世界文化遗产的这三处文化遗产点（段），都具有原生态和完整性的特征。

◎ 下图　运河在沧州市区穿城而过／陈秀峰　摄

谢家坝位于东光县连镇镇运河五街、六街交界处，南运河东岸。

南运河河北段曲折多弯，水势凶险，致使险工险段很多，谢家坝就是险段之一。

历史上此处曾经多次决口，两岸百姓苦不堪言。谢家坝一名的由来，记录着古代人民抗击洪灾的一段历史。相传清朝末年，此地河道决口，洪水滔滔不绝，眼看又要淹没许多人家。当地一名姓谢的乡绅捐资，从南方买来两万余斤糯米，组织人力，把糯米浆与白灰、黄土按一定比例混合，一层层夯实筑堤。从那以后，这一段河道再也没有决口。为了纪念这位谢姓乡绅，人们就称这一段大坝为"谢家坝"。因坝体由灰土加糯米浆合成，这段大坝也称"糯米大坝"。"糯米大坝"夯土以下是毛石垫层，基础是原土打入柏木桩筑底，因此大坝非常坚固。谢家坝凝结着古代中国人民的智慧和情感，

◎ 右页图　谢家坝／王经　摄

河湖纵横 072

也真实记录了一方人民临水而居的生活历史，再现了中国近代在漕运水利设施夯筑方面的先进工艺，同时也为研究清末的夯土技术及南运河段险工护岸的发展过程提供了实物资料。

另外一处被评为世界文化遗产的险工——衡水市景县华家口夯土险工，也是一座"糯米大坝"。

这一段河道历史上曾多次决口，载入县志的仅在晚清时期就有两次：一次造成全村庄稼全部被淹，一次造成村庄全部被毁，百姓田园荒芜、无家可归。危难之中生智慧，随着"糯米大坝"的建成，历史文献中再也没有出现华家口段决堤受灾的记录。衡水市景县华家口夯土险工，原建于清宣统三年（1911年），全长二百五十五米，呈梯形，南北走向，堤的内坡采用黄土、白灰和糯米浆的混合材料夯筑。坝墙分步夯筑，每步宽约一百八十厘米，厚约十八厘米。底部采用坝基抗滑木桩施工工艺，外坡与顶部用素土夯实。坝体弧形曲线符合流体力学原理，最大限度地缓解了河水的冲刷。

◎ 左页图　衡水华家口夯土坝／靳艳红　摄

这一处险工为研究清代夯筑防水技术和运河堤岸防护发展史提供了有力的实物资料。

南运河沧州—衡水—德州段，南起德州市四女寺枢纽三角洲的北缘华家口夯土险工，北至沧州市东光县的谢家坝，纵跨河北和山东两省，途经德州、衡水、沧州三市的德城区、故城、景县、吴桥、东光五区县的河段，河道全长九十四千米，其中沧州段长约四十九千米。

南运河沧州—衡水—德州段的代表性价值主要体现在两个方面：一是弯道代闸技术，二是固堤防洪工程。

四女寺枢纽到连镇谢家坝的直线距离是五十二千米，水面总落差为四米。如此大的落差给航运带来了困难。人工弯道可以对水面坡降做出调整，不建一闸而实现水流速度调整，同时满足干流行洪的需要，有效提高通航质量。另外，南运河地势较高，有些河段

◎ 右页图　大运河衡水故城段／刘克政　摄

河脉绵延 第二单元 075

◎ 左上图
漳卫运河馆陶段／昵图网　供图
◎ 左下图
一桥横跨冀鲁两省（大运河卫运河段）／
李洪儒　摄

甚至高于两岸地面，河水全靠堤防约束。而这一河段有很多弯道，导致堤岸容易塌落，险段很多。所以，南运河多采取夯土加固工程措施，对堤岸进行加固。南运河这种险工段加固工程，以及河道工程管理中利用洪水冲淤、泥沙固堤等措施，都体现出古代河工技术中以堤治河、以河治河的特点。

　　大运河是活着的、流动的重要人类遗产，在大运河申遗过程中，大运河沿线的文物得到抢救，这既是大运河申遗的意义所在，也是大运河申遗成功的重要原因之一。大运河申遗成功是众望所归，更是大运河保护的新起点。

贰 >> 燕赵儿女母亲河

不同地方的河北人,心中都有一条属于自己家乡的河流。千百年来她们流淌着岁月的记忆,承载着家乡儿女挥之不去的乡愁。我们亲切地称之为母亲河。

1. 石家庄滹沱河

滹沱河在石家庄人民的心目中既神圣又亲切,她是石家庄儿女的母亲河。

滹沱河是我国海河水系的主要河流之一。滹沱河从山西省繁峙县孤山村一带出发,向西南流经恒山与五台山之间,至界河折向东流,切穿系舟山和太行山,东流至河北省献县臧桥与滏阳河汇聚成子牙河后入海。在河北石家庄境内的灵寿、正定、藁城、无极、晋州、深泽都能看到她的身影。

◎ 右页图　航拍滹沱河 / 张瑞敏　摄

第二单元 河脉绵延 079

河湖纵横

◎ 上图　晚霞辉映清水河／韩涧峰　摄
◎ 下图　石家庄太平河城市片区／视觉中国　供图

滹沱河下游的一条支流太平河，位于石家庄城区西北部，两岸的绿化带和防护林郁郁葱葱、鸟语花香。在太平河沿岸的太平河主题公园，有小山，有河道，既能登山又能泛舟，还能不时与天鹅、野鸭等野生禽类打个照面。

2. 张家口清水河

要说把母亲河装扮得最为灵动清新、风姿绰约的，当属张家口。一条长约一万一千五百米的地域文化长廊，北起纬三桥，南至明湖，将清水河张家口段完全纳入一幅绝美的画卷。各个县区根据自己的自然人文特色在文化长廊上留下自己的印迹。沿着这条长廊走一圈，便能领略到张家口市所有地域的特色和文化内涵。

3. 承德武烈河

承德人民的母亲河为武烈河。这个名字正契合了承德儿女的勇毅、刚烈。

武烈河水质甘甜,是承德避暑山庄湖区的主要水源,也是承德的主要饮用水源。

> 武烈河是滦河支流,古称武列水,《热河志》称其为热河。

武烈河长约一百一十四千米,流域总面积约两千五百八十平方千米,流域涉及围场、隆化、承德三县和承德市双桥区。承德市过去是武烈河边的一个小山村,清康熙四十二年(1703年)至清乾隆五十五年(1790年),皇家园林——避暑山庄的修建使这里逐渐繁荣起来。也正是因为武烈河,承德才有了我国留存最大的皇家园林、世界文化遗产——承德避暑山庄。

◎ 右页上图　热河流进避暑山庄 / 孙树峰　摄
◎ 右页下图　承德市武烈河 / 王磊　摄

083 河脉绵延 第二单元

4. 邯郸、衡水滏阳河

邯郸和衡水是一母双生的兄弟地市，他们有着共同的母亲河——滏阳河。滏阳河是一条集防洪、灌溉、排涝、航运等多功能于一身的骨干河道。

◎ 滏阳河峰峰明珠黑龙洞景区 / 刘兵 摄

河脉绵延　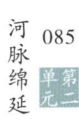　085

滏阳河在邯郸市区常年有水，这在缺水的北方城市十分少见。因此我们可以说，滏阳河博大健硕、乳汁丰沛，有着磅礴恢宏的气质，她用结实有力的臂膀将这对兄弟揽入怀抱，用甘甜的乳汁哺育他们，并为他们抵挡风险。

滏阳河发源于太行山东麓邯郸市峰峰矿区的滏山南麓，故称滏阳河。

滏阳河属海河流域的子牙河系，全长约四百一十三千米，流经邯郸、邢台、衡水，在沧州地区的献县与滹沱河汇流。

滏阳河在邯郸市境内，自东武仕水库流经磁县、邯山区、丛台区、永年县、曲周县、鸡泽县至邯邢边界，地处邯郸市腹地；而在衡水市境内，由西南向东北蜿蜒穿过，被称作衡水市区的"龙脉"。

◎ 右页图　弯弯曲曲滏河美／汪保忠　摄

087 河脉绵延 第二单元

河湖纵横 088

叁 >> 血脉相连京津冀

京津冀同属海河流域，自古以来，山同脉，水同源，人相亲，地相连。

1. 饮水思源"三河源"

最能体现京津冀一衣带水、血脉相连的当属"京津冀三河源"。

河北省沽源县作为白河、黑河和滦河的源头，每年都吸引大批游客前来"饮水思源"。

◎ 左图　黑河风光／视觉中国　供图

白河在沽源县境内长约五十八千米，常年奔流南下，入京后汇入潮白河。

黑河在沽源县境内河道约十四千米，由北向南途经赤城县境与白河汇聚，流经北京，汇入潮白河后注入密云水库。

白河、黑河之水有效缓解了北京缺水问题。

滦河的源头有两个分支，一支在丰宁县境内，一支在沽源县境内，沽源县境内的支流叫闪电河。闪电河由南向北流入闪电河水库，再向北流至大梁底村和沙井子河汇流，在塞北管理区出沽源县境，成为天津市水源供给地之一。"三河源"之水把沽源人民和京津人民紧紧连在一起。

◎ 右页图　潮白河畔／于海军　摄

河脉绵延 091 第二单元

河湖纵横 092

2. "北方漓江"拒马河

拒马河是流经河北、北京的一条重要河流。作为北京市五大水系之一，北京房山十渡一带的拒马河流域是著名的水生野生动物的乐园。

> 拒马河水清冽柔美，两岸青山层峦叠嶂、起伏连绵。

每年12月中旬开始，国家一级保护动物黑鹳一年一度的"相亲大会"在这里拉开帷幕，一直持续到来年2月。国家一级保护动物苍鹭在拒马河两岸的悬崖峭壁上筑巢生子，相亲相爱地过日子。国家二级保护动物天鹅在这里捕鱼、嬉戏，流连忘返。

拒马河在北京境内，造就了十渡美景，而在河北境内，滋润着著名的旅游胜地野三坡。拒马河水常年不枯，水质清澈，与野三坡的崇山峻岭相得益彰，构成了酷似桂林山水的秀美风光，被称为"北方漓江"。

◎ 左页图　拒马河／视觉中国　供图

3. 跨区域调水助京津

跨区域调水，进一步使京津冀人民血脉相连。

20世纪70年代以来，海河流域出现了持续干旱，天津市遭到了严重水荒，面临水源断绝的威胁，发电、纺织、印染、造纸等用水大户面临停产。居民用水也成了问题，甚至喝上了苦咸水。为了帮助天津渡过难关，1982年5月"引滦入津"工程启动。

"引滦入津"就是把滦河上游、河北省境内潘家口和大黑汀两个水库的水引进天津市。

"引滦入津"工程结束了天津人民喝苦咸水的历史，减轻了地下水开采强度，使天津市区地面下沉趋于稳定。

潘家口水库和大黑汀水库的水不仅是天津人民的生命线，也是河北唐山人民的生命线，唐山市区百分之五十以上的饮用水也来自这里。

为缓解北京市用水问题立下过汗马功劳的是河北省张家口市赤城县云州水库。赤城县境内有三十一条河道，总长约七百八十三千米，占张家口市河道数量的六分之一，其中多条河流汇入北京密云水库，占密云水库来水量的53%。赤城境内最有名的黑、白、红三条河流全部汇入北京市的密云水库和白河堡水库。因此，素有"京城一杯水，半杯源赤城"的说法。

◎ 下图　赤城县云州水库夏日风情／视觉中国　供图

▌肆 >> 南水北调润燕赵 ▌

一条蓝色巨龙从河北大地上蜿蜒而过，两岸绿地公园、自然景观、名胜古迹、遗址遗存星罗棋布，一派欣欣向荣的景象。这便是南水北调工程河北段清水走廊的一个缩影。

"古有京杭运河，今有南水北调。"

中华民族两千年接力建成贯穿南北的中国大运河，堪称人类历史上的一大壮举。

而当代中国人民南水北调，完成了世界上建设规模最大、供水规模最大、调水距离最长、受益人口最多的调水工程，是人类历史上向水兴利的另一个奇迹。

我国水资源分布极不均衡，南涝北旱。严重缺水的北方，为了满足人们生产生活的需要，只好开采地下水。地下水过度超采，造成地面沉降、河流干涸、海水入侵等

◎ 右页上图　赞皇县南水北调大桥／惠秋建　摄
◎ 右页下图　南水北调沿线的正定古城／视觉中国　供图

第二单元 河脉绵延

一系列生态环境地质灾害。国家为了解决这个问题费尽心血，最终确定了南水北调方案，分东、中、西三条线路，从长江调水到北方。

1. 南水北调百泉活

提起南水北调，河北邢台人民一脸的喜悦，因为已经干涸了几十年的百泉泉群复活了，这正是南水北调的功劳。

历史上邢台曾经被称为"泉城"，而邢台经济开发区曾经被称为"鱼米小江南"。

在邢台市区东南，有一大片泉域，由百泉、沟头泉、黑龙潭、珍珠泉、金屑泉、喷玉泉、葫芦套等十五个泉群组成，少说得有上千亩。大大小小的泉眼更是成百上千，都是岩溶地下水天然排出点。邢台的老人还记得，小时候这里到处都是美丽的芦苇，水鸟成群，鱼虾满池。相传，乾隆皇帝南巡返京时，路过邢台，一下子就被这里的美景

◎ 右页图　邢台百泉之首达活泉／崔五杰　摄

第二单元 河脉绵延

河湖纵横 100

◎ 左页图　邢台沟头泉／胡一杰　摄

吸引了，一连在这里住了三天，每天赏美景，吃肥美的泉鱼，还写下了"早知有百泉，何必下江南"的诗句。可是随着人口的增加、城市的发展，生活和工业用水增加，邢台地下水超采严重。邢台百泉断流，昔日风采不再。

南水北调工程将长江水引入邢台，所有的工业园区全部切换为长江水，当地居民绝大部分喝上了长江水，有效缓解了邢台深层地下水水位下降的态势。邢台百泉复活，一个个六七十米的大沙坑重新涌出清泉。

不仅是百泉，目前邢台河河有水、处处有绿。邢台母亲河七里河市区段河道实现全线蓄水。

石家庄的母亲河滹沱河也是因为喝上了长江水，在断流二十多年后，又恢复了勃勃生机。

河北省因南水北调工程获益的地市，除了邢台和石家庄，还有廊坊、保定、沧州、衡水等。南水北调从根本上改善了这些地方的水资源状况和水生态环境，对促进生产生活、社会生态文明建设，起着举足轻重的作用。

◎ 右页图　邢台园博园"烟雨江南" ／冯九伟　摄

2. 清水走廊风景美

借着南水北调补水的东风,河北各地纷纷致力于生态环境的改善,这也大大丰富了旅游资源。邢台提出要"像保护眼睛一样保护生态环境"。位于内丘县马河流域的鹊山湖湿地面积大大增加,还成了野生白天鹅迁徙路线上的"生态驿站"。国家一级保护濒危鸟类黑鹳也到邢台园博园做客。石家庄市滹沱河启动生态修复工程,把滹沱河打造成集防洪、观赏、休闲、健身和科普五大功能于一体的绿色生态景观长廊。

除了控制污染、保护生态环境,南水北调工程河北段各地市还依托南水北调中线工程,整合沿线的自然资源、人文资源,大力建设体现地方特色的集景观游览、文化娱乐、城市游憩、生态休闲等于一体的景观工程,形成了一条南水北调工程河北段清水走廊。

> 清水走廊沿岸,草长莺飞、绿意盎然,景色美不胜收。

南水北调中线旅游带,是以南水北调工程景观为节点,融合周边生态旅游文化资源形成的十二个各具特色的

河脉绵延 第二单元

河湖纵横

旅游圈，是依托交通带建设和完善交通网络，通过"点—圈—带"融合串联，形成的以南水北调为品牌的中线旅游带。河北境内的白洋淀、狼牙山、西柏坡等革命故地以及古都邯郸等历史古迹便在这条中线旅游带上。

南水北调中线工程河北段大部分位于太行山东麓山前平原地带。这里地势开阔，气候温润，沃野千里，地理环境非常适宜人类居住。这一地区孕育了灿烂的古代文化，是河北省古代文化遗存最为丰富的地区。

南水北调河北段的生态美景，以及名胜古迹、遗址遗存，是一幅幅壮美的画卷，吸引着各地游客纷至沓来。

◎ 左页上图　滹沱河（石家庄南水北调中线）/朱元杰　摄
◎ 下图　元氏南水北调大桥/张春刚　摄

扫码听书

扫码看视频

第三单元

水库倩影

壹 >> 北国三峡潘家口

潘家口水库是华北地区最大的水利枢纽工程，也是"引滦入津"的重要工程之一，位于河北省唐山市迁西县与承德市宽城满族自治县、承德市兴隆县交界处。库区内云水相接、风光秀丽。

水库所在地域喜峰口一带是古长城雄关要塞，由于部分长城已没入水中，形成了令人叹为观止的奇观——水下长城。

塞外边关的粗犷豪迈和江南水乡的清逸俊秀在这里融为一体，古代人民勤劳智慧的代表万里长城和现代人类文明的代表人工水库也在这里相映成趣。人们盛赞潘家口水库是"北国三峡，塞上漓江"。

◎ 右页图　潘家口水库／视觉中国　供图

水库倩影

河湖纵横

1. 水下长城奇观

在霞光万丈中，一条蜿蜒巍峨的长城巨龙从崇山峻岭中摇摆出身体，一头扎进碧波，又从对岸挺身而出，这便是潘家口水库水下长城奇观傍晚时分的美景。

> 这没在水下的一段长城就在喜峰口到潘家口两个城堡之间。

喜峰口、潘家口是明长城的两个重要关隘，这一带的长城长约五十千米，共有墩台二十一座，是当时中原通往北疆和东北边陲的咽喉要道。潘家口水库建成蓄水后，水位超过了长城高度，喜峰口、潘家口城堡淹没于水中，从此这段历经五百余年沧桑的长城便隐身水下。令人津津乐道的是，这是中国唯一的一段水下长城。

有时天气干旱，潘家口水库水位降到一定程度，水下长城也会偶尔现身。所以水下长城的沉浮又是华北地区降雨量的一个晴雨表。

◎ 左页上图　潘家口水库开闸放水／王爱军　摄
◎ 左页下图　潘家口水库风光／视觉中国　供图

在水下长城奇景一带，形成了一系列古文物旅游景点，主要有"喜峰口要塞""松亭关要

◎ 长城宛若巨龙探入潘家口水库　王爱军　摄

塞""潘家口长城"以及传说中的多处古遗址。这些都是游客们热衷的打卡地。

2. 塞北小江南

潘家口水库的奇景以水下长城著称,却绝不仅仅是水下长城。

这里湖光山色,草木葱茏,鱼虾跳跃,花果飘香,素有"塞北小江南"之称。

荡舟湖面,波光粼粼,流水潺潺,或远或近的奇峰怪石、悬崖陡壁映入眼帘。船移景异,天光忽明忽暗,山势随着方位变换。到了潘家口水库上游的贾家安村,湖面上的山体巨石忽然多了起来,冷峻粗犷的石壁直上直下,土白色的山体裸露在外,如刀削斧劈一般,放眼望去,绵延数千米。这便是潘家口水库著名景点贾家安村十里画廊。行至一处,两边巨大的山体像要相撞,却还留有一线距离,这便是十里画廊有名的一线天。

◎ 右页图 "塞北小江南"——潘家口水库 / 王磊 摄

115 第三单元 水库倩影

河湖纵横

潘家口水库一带的山脉，是燕山山脉的一部分，塞外凌厉的狂风造就了它粗犷豪迈的气质，与南方清秀俊雅的群山截然不同。

在流水侵蚀和褶皱断裂作用下，呈现出千奇百怪、绚丽多姿的特点。

贾家安村一带众多奇形怪状的石乳，又形成了令人叹为观止的自然景观，这也正是其得名"十里画廊"的由来。

除了十里画廊，潘家口水库还有很多令人神往的景点，比如宽城县境内"口外八景"中的四景：都山积雪、鱼鳞叠锦、万塔黄崖和独木仙桥。

◎ 左页图　雄关迎日／吉久利　摄

潘家口水库库区生态环境保持得很好。由于周边没有工业，水域免遭污染，水质十分清澈；山上松林茂密，风儿吹过，松涛阵阵；野兔、山鸡、松鼠等野生动物出没其中；各种野菜随处可见。这里特殊的水土孕育了品种特殊的栗子树，所结板栗营养丰富、入口清香，每年都有大批出口国外。潘家口水库的鱼虾个儿大味儿鲜，备受游客青睐。

◎ 下图　云海中的潘家口水库／胡慧梅　摄

潘家口水库有山的巍峨和水的缠绵，不愧"塞北小江南"之美称。

3. 除害兴利建奇功

滦河具有一个突出的特点，就是来水量在时间分布上很不均匀。7、8、9三个月内的来水量往往可占全年来水总量的80%以上。另外，来水量的年际变化悬殊，

◎ 右页图　潘家口水库水天一色／王爱军　摄

一年和一年的来水量可相差数倍。滦河的另一个特点就是洪水峰高量大，威胁着下游的安全。

滦河流域上有大型水库四座，即庙宫水库、潘家口水库、大黑汀水库、桃林口水库。大黑汀水库位于潘家口水库下游约三十千米处。1980年，潘家口水库和大黑汀水库开始蓄水运用。1994年7月13日，滦河流域遭受了有资料记载以来第二大、潘家口水库和大黑汀水库投入运行以来最大的洪水。由于潘家口水库和大黑汀水库调度合理，保住了乐亭小埝，使小埝内十二万人口的村庄、二十多万亩土地安然无恙，守护了国家投资一千六百万元的白龙山电站，为下游减少了经济损失。

潘家口水库是开发滦河水利资源、调节径流、除害兴利的重要控制工程，起着拦蓄洪水、削减洪峰、减少下游洪水灾害的作用，并确保下游京山（北京—山海关）铁路桥行车安全。

121 第三单元 水库倩影

河湖纵横 122

▌贰 >> 京畿明珠官厅湖▐

官厅湖即官厅水库，是中国水库大军里非常重要的一个。

水库坝址位于河北省怀来县境内，库区跨河北省怀来和北京延庆两县。对付永定河下游的洪水灾害主要靠它，而且它曾是首都北京主要供水水源之一。

1. 应永定水患而生

永定河是海河水系的主要干流之一，大部流经黄土地区，含沙量大，被称为小黄河。其下游泥沙淤积，河床抬高，常泛滥成灾。官厅水库就是为了根治永定河水患而修建的，也是中华人民共和国成立后建设的第一座大型水库。

官厅水库建成后不负众望，曾八次保卫了下游人民的生命财产，用事实证明永定河真的被"定"住了。

◎ 左页图　航拍官厅水库大坝 / 视觉中国　供图

官厅水库位于北京市西北方向，地理位置十分特殊，整个流域涵盖张家口市的桥东、桥西、宣化、崇礼和下花园五个区，以及怀来、蔚县、阳原、涿鹿、怀安和万全六个县，还囊括了北京市延庆区。

现在官厅水库虽然不再给北京市民提供饮用水，但是它在发电方面继续为人民服务。

◎ 上图　官厅水库国家湿地公园／刘俊成　摄
◎ 右页图　航拍冬日官厅水库／视觉中国　供图

第三单元 水库倩影

河湖纵横

◎ 左上图
官厅湖怀来大桥／韩敏　摄
◎ 左下图
官厅水库风电场光伏电场／视觉中国　供图

继1956年官厅水力发电站建成以后，先后又修建了下马岭、下苇甸两座梯级电站，为首都及华北地区提供了大量电能，缓解了高峰用电紧张的局面。

官厅水库库区还出产大量水果和水产，丰富了老百姓的菜篮子和餐桌。库区充分利用水土资源的优势，开展绿化造林、栽植果树、发展养殖业。这里的特产骏枣以其果大皮薄、香、甜、脆的特点受到人们的青睐。大量的鲜鱼、农副产品源源不断地被运送到市场。

2．与草原沙滩握手言欢

官厅水库风光旖旎，最大的特色是草原沙滩在此地邂逅并握手言欢。广袤无垠的康西草原就在官厅水库的东岸，而官厅水库的南岸却是一片细腻的沙滩。草原、沙滩、湖面、群山，齐聚官厅水库，可谓奇观！

官厅水库与周围众多闻名遐迩的旅游胜地相接，距北京德胜门仅七十多千米，距八达岭长城七千米，距延庆的龙庆峡八千米，交通便利，每年都会迎来大批游客前来观光游玩。

◎ 官厅水库国家湿地公园／刘俊成　摄

第三单元 水库倩影

叁 >> 北方桂林易水湖

看到"易水湖"三个字,一定会想起荆轲刺秦的故事。"风萧萧兮易水寒,壮士一去兮不复还!"而今,慷慨悲歌已成过往,随着一座伟岸的水库大坝建起,这里变成了群山环绕、碧波荡漾的旅游胜地易水湖。

1. 北国风光南国风情

易水湖有多美呢?从影视剧中可以找到答案。《西游记》(1986年版)、《绝命逃亡》、《赤壁》、《墨攻》都曾在这里取景。它虽是北方山水,却有南国风情。

◎ 左页图　易水湖青山碧水／视觉中国　供图

易水湖坐落在河北省易县,距北京约一百五十千米,距雄安新区约八十千米。远山近岭,前后错落,如众星拱月一般,环抱着清澈澄净的易水湖。

◎ 下图　易水湖秋景／视觉中国　供图
◎ 右图　快艇畅游易水湖／视觉中国　供图

第三单元

水库倩影

河湖纵横

◎ 左页图　易水湖同出门／视觉中国　供图

最奇特的是，易水湖辽阔的湖面上耸立着一座座藤萝倒挂的奇峰怪石，在水光天色、烟波浩渺中，欣赏着自己的倒影。乘一叶小舟，轻轻划过水面，一串涟漪顺着船桨悠然荡漾，与山光云影共同摇曳，一时间，犹如穿梭在漓江一般。

相传，八仙过海中的七仙就是在这个地方度曹国舅成仙的。

因此山上还有仙人洞、仙人桥、仙人渠等景点，真是"欲知此处风景美，何必千里下江南"。

依托绝佳的山水自然资源，易水湖景区建设有易水文化休闲度假小镇、养生岛康养小镇、老子峰三千一百米临水栈道、高端度假湖景酒店、水上运动等业态项目，荣获国家4A级旅游景区、国家级水利风景区、保定十佳景区等殊荣。

2. 老子峰的"易"文化

易水湖的名字中有个"易"字，仿佛这里与中国传统文化中的"易"文化有着天然的联系。整个易水湖景区处处体现着"易"文化的痕迹，其中尤以老子峰最为游客津津乐道。

老子峰嶙峋奇特，峰尖直指天际，如同天降奇峰，猛钉在易水湖面。在老子峰的半山腰，一条长达三千米的临水观景栈道，蜿蜒曲折地盘旋而去。漫步在栈道之上，徜徉在天高水阔的山水之间，心绪都随之开阔了。

大道之源、天地根、无为屏、天门云梯、观水等多处景观，都由《道德经》而得名。

及至老子峰脚下，一座圆形平台向易水湖碧波中探出头去，平台上面巨大的八卦图在山水之间吸收天地灵气，运行着玄妙的自然规律。大概是设计者认为老子的《道德经》与《易经》一脉相承，才有了这种设计。

游罢老子峰，还有多处"易"文化体验之地。易水文化休闲度假小镇，以养生文化为主题。农家乐、采摘园、游乐园、特产商店应有尽有，各区域的名字也都跟养生有关，比如静心酒店区、养心民宿度假区、清心民宿度假区、镜心民宿度假区等。在金坡码头上还有一条热闹的"易"文化商业街，这里的建筑沿袭了易县老民

◎ 右页图　易水湖码头 / 视觉中国　供图

水库倩影 第三单元 137

河湖纵横

◎ 左图　易水湖致虚台／视觉中国　供图

居的传统风格，青砖老瓦，泥土黄墙。街内专门卖易水砚、易水湖鱼、长寿席等特色礼品。养生岛康养小镇按照易文化和中医养生主题打造，共分三部分，分别为：以养生游步栈道、养生民宿客栈等为主要元素的自然养生区；以经络理疗村落、中医饮食养生、运动健身等为主要元素的调理养生区；以中医堂、户外静养、疗养住宿等为主要元素的五行养生区。一个个造型美观的建筑点缀在绿树山林之间。游客在这里赏景、游玩、休憩，心旷神怡。

肆 >> 惹人遐思京娘湖

在巍峨雄伟的太行山腹地深藏着一位"美丽女子",那就是河北省众多湖泊中最惹人遐思的京娘湖。

脍炙人口的京剧经典剧目《千里送京娘》,说的就是赵匡胤千里送京娘的故事。这个故事流传广泛、版本众多,细节更是各不相同。京娘湖之名也来源于这一凄美的传说。传说赵匡胤因为得罪了朝廷,不得不乔装打扮流落江湖。他武艺高强,一路上行侠仗义、惩恶除暴。十七岁的京娘随父亲去曲阳烧香还愿的路上遇到了强盗,幸好被赵匡胤救下。赵匡胤千里护送京娘回家,一路上对京娘照顾有加、体贴入微。京娘感动于赵匡

◎ 右页图　京娘湖山绿湖清／木十二　摄

河湖纵横

◎ 左上图　京娘湖大坝/视觉中国　供图
◎ 左下图　京娘湖秋景/崔五杰　摄

胤的侠义，又见他英明神武，遂生爱慕之情。路过邯郸武安，京娘晨起在湖边梳妆后，向赵匡胤表达心意。赵匡胤婉言拒绝，表明千里相送只为义气，而非贪图京娘美色，况且施恩图报非君子所为。京娘深感羞愧，留下一句"今生不能补报大德，死当衔环结草"，便跳湖以死明志。京娘湖由此得名。

京娘湖的传说，留给人无限的感动和慨叹。而今，京娘湖动人的湖光山色和凄美的传说故事相得益彰，吸引着无数游客。

京娘湖湖面呈倒"人"字形，分东西两支，东支流叫常社川，又叫仙灵峡；西支流称门道川，也叫宋祖峡和京娘峡。两岸群峰竞秀，赤壁丹崖，众多标志性景点点缀其中。

京娘湖景区是一座国家级森林公园，森林覆盖率可达98%。

京娘湖中的贞义岛拥有完整的次生林景观。别处很难见到的珍稀树种，在这里却比比皆是，山杏、桑葚、黑枣、橡树、核桃、板栗、山桃等漫山遍野，半夏、茯苓、何首乌等药材点缀其间。画眉、布谷鸟、山猪、野鸡、松鼠等各种飞禽走兽在这里和谐相处。除了丰富多彩的动植物资源，岛上还遍布各种各样的奇石，有的像雄鹰，有的像神龟，给人无限想象的空间。

宋祖峡，因崖壁岩石刻有赵匡胤的诗而闻名。相传当年赵匡胤在此以诗言志，登基后又派人将诗刻在岩石上。宋祖峡与京娘峡前后相连。京娘峡两岸山势陡峻，峭壁高悬，一叶小舟划过，一线天名不虚传。

屏风山因形似屏风而得名，山势直上直下，如刀削斧劈一般。相传，这个巨大的屏风后面藏着一个宝库，宝库里装满金银财宝，到了夜深人静的时候，隐隐约约可以看到金碾子、银碾子等宝贝。在屏风山下睡觉还能听到鸡鸣狗吠、人喊马嘶的声音，那便是赵匡胤救京娘时与强盗厮杀的声音。

◎ 右页图　巍巍太行京娘湖／视觉中国　供图

水库倩影 第三单元

伍 >> 宛如画境燕塞湖

燕山脚下，秦皇岛山海关城西北的峡谷间万里长城的最东头，坐落着风光秀美、如诗如画的燕塞湖，恰似一条蜿蜒巨龙口衔一枚璀璨明珠。

1. 害河变美湖

燕塞湖因地处燕山要塞而得名，又称石河水库，是1974年筑坝断流蓄水而成。燕塞湖见证着人们治水的历史，闪耀着劳动人民的勤劳和智慧。石河，原是一条害河，每年夏秋雨水充沛的季节，洪水从山涧奔涌而出，阻断道路、冲毁田园。但石河又是山海关军事要塞的一道天堑。历史上，多次军事冲突发生在石河两岸。新中国成立后，当地人民劈山筑坝，把泛滥的洪水锁在山谷之中，形成了游览胜地燕塞湖。

◎ 右页图　燕塞湖码头风光／视觉中国　供图

2. 奇山秀水

　　燕塞湖有着十五平方千米的宽阔湖区，是长寿山国家森林公园和秦皇岛柳江国家地质公园的重要组成部分。因其秀美风光，素有北方小桂林之称。波光粼粼的湖面像绸带一般环绕在深山峡谷之中，山水重重叠叠，相映成趣。两岸崇山峻岭、苍翠欲滴，充满画意诗情。

湖区内更有数不胜数的自然景观，金蟾戏水、神女浴日、华佗采药、仙人指路……其中湖心岛，被称作"洞山剑峰"，是天降奇观。上部峭壁悬崖，怪石嶙峋；山腰石洞，深邃莫测，蛇蟒出没。传说这是吕洞宾逗苍龙之地。苍龙盘旋钻山，撞出了石洞，吕洞宾挥剑追赶，形成了剑形山石，直指青天。石洞之下断崖绝壁、濒临深渊。

◎ 左页图　燕塞湖湖光山色／昵图网　供图
◎ 下图　石河水库大坝／视觉中国　供图

3. 鸟语林和松鼠园

湖区内的鸟语林是百余种珍稀鸟类的家园。黑天鹅、丹顶鹤在这里徜徉，白鹭、孔雀在这里散步，成群的鸟雀为游客献艺，各种各样的鹦鹉用特殊的语言和游客搭讪。松鼠园松涛阵阵、溪水潺潺，松鼠、麋鹿等野生动物出没其间，共同构成一幅和谐美好的生态画卷。

◎ 白鹭／赵超　摄

水库倩影

陆 >> 沙河名片秦王湖

河北邢台沙河市拥有一张响亮的名片,那就是国家级3A级旅游景区秦王湖。

秦王湖,其实是一座以灌溉为主、防洪发电为辅的中型水库,又叫东石岭水库。

因其周围有大量关于秦王李世民的历史遗迹和传说,故沙河市将其更名为秦王湖。

1. 三峡四沟五十景

秦王湖位于沙河市区西约四十千米处的渡口川上,距邢台市约五十千米。秦王湖犹如一串流动的蓝色玛瑙,镶嵌在巍巍太行之间,景色绝美。

秦王湖湖面辽阔,碧波万里,荡漾着水光山色。拱卫着秦王湖的太行群山,奇峰叠嶂,沟谷幽深,巍峨雄伟,险峻奇特,千姿百态,和湖面的柔美景色相

◎ 右页上图　南澧河渡口川上的秦王湖／昵图网　供图
◎ 右页下图　高峡掩映间泛艇秦王湖／张双来　摄

水库倩影 | 第三单元 | 153

河湖纵横

得益彰。库区山峦随处可见风景奇特的地貌形态，构成了三峡四沟五十景，怪石嶙峋、悬崖陡峭、穴洞勾连、沟壑斜陈、池泉凸现……集雄、奇、险、幽为一体。

五仓峰、寨底沟、秦王峡、秦王井在秦王湖的北岸。秦王井常年有水，水质十分清甜。

秦王峡绵延两三公里，有济公岩、月老岩、跳水崖、白龙泉、仙女池、一线天等景点。在峡谷中一路前进，可看到一大型瀑布，令人惊叹。这瀑布水帘随着山势呈螺旋形猝然落下，水花飞溅，声势浩大。过天桥沿天梯盘旋而上，半山腰的狐仙洞在云雾缭绕中忽隐忽现。

广阳山和北武当山（即老爷山），位于秦王湖西岸。秦王湖东南有天书崖、钓鱼台、黑龙潭、狮子峰、五仓沟等景点。五仓沟的瀑布溪流最为奇特。瀑布随着山石的层次下跌形成一层一层的水帘，一层一潭，水汽氤氲，摄人心魄，有"九叠十八滑"之称。

秦王湖南岸仰佛峰、醉仙峰、如来峰、鹦鹉岩、母子岩、小仓峡、大仓峡、渐寺沟、石岩沟等景点依次排列，造型奇特，崖高壁陡，险象环生。

◎ 左页图　秦王湖观景亭／昵图网　供图

2. 秦王遗迹和传说

相传,秦王李世民"洺水之战"的主战场就在沙河一带。这里留存着大量关于李世民的历史遗迹和传说。沙河市西南沟村的传说是这样的:唐太宗李世民还是秦王的时候,与农民起义军刘黑闼部在洺水大战,却吃了败仗。秦王连忙带着手下逃至西南沟村西首阳山腰。眼看追兵就要赶上,就躲避到丹崖绿松下。这时崖石变成一位白头发白胡子的老头儿。追兵过来问他,有没有看到有人从这里经过,老头儿说看到了并随便一指。追兵就向错误的方向追去，秦王得救了。秦王藏身之处，就是现在的"谎神庙"，又叫"谎神岩"。后来，李世民躲在西南沟村的一个山洞里，厉兵秣马，日夜操练，把兵士操练得所向披靡。西南沟村的这个山洞，就是"秦王洞"。

秦王藏兵洞、秦王钓鱼台、秦王屯粮地、秦王阻水地等，与这次战争有关的历史遗迹和传说，就散落在秦王湖一带，是人们打卡必到之地。

◎ 左页图　远眺秦王湖观景亭／昵图网　供图
◎ 下图　雨后航拍秦王湖／刘利柱　摄

3. 沙河的大功臣

秦王湖作为以灌溉为主、防洪发电为辅的中型水库，其本职工作做得相当出色，可以说是沙河市的大功臣。自水库建成以来，已成功抵御了五次较大的洪水，为保护沙河市人民群众生命财产安全发挥了巨大作用。

水库也有力地推动了当地农业生产和经济的发展。沙河市丘陵众多，占全市三分之二的山区土地为旱田，灌溉基本靠自然降雨。只有东部平原地区用机井采地下水灌溉。水库建成后，沙河市的耕地灌溉率由之前的27.6%增加到了73.8%。

秦王湖尽忠职守、兢兢业业，为沙河的繁荣发展贡献着力量。

◎ 左图　东石岭水库大坝／胡一杰　摄

扫码听书

扫码看视频

第四单元

湿地惊艳

壹 >> 闪电河国家湿地公园

  鸟儿与白云齐飞，湖水共蓝天一色。成群结队的小天鹅扑扇着翅膀飞过来了，有的在湖面上盘旋飞翔，有的在水边走走停停，有的望向水中顾影自怜。它们从贝加尔湖畔赶往鄱阳湖，途经河北坝上闪电河国家湿地公园，见景色宜人，如诗如画，便停下来中途休息。按照惯例，它们将在这里栖息月余之久。

  河北坝上闪电河国家湿地公园，地处内蒙古高原向华北平原过渡的地带，特殊的自然地理位置使这里水草丰美，是中国候鸟三大迁徙线路之一和全球八条候鸟迁徙通道之一的东亚—印度通道的中转站。

2010年，这里正式被国家林业局批准成为国家级湿地公园，这也是河北省第一个国家级湿地公园。

◎ 右页图　沽源闪电河 / 孙利人　摄

河湖纵横 164

◎ 左页图　滑翔于闪电河畔／吴社军　摄

闪电河国家湿地公园位于河北省沽源县城东约五千米处，距张家口市约一百七十千米，距北京市约二百六十千米。区内生物多样，有湿地植物二百一十种、动物二百二十二种，其中国家级重点保护动物三十一种。

1. 闪电河的由来

闪电河并非因形似闪电而得名。闪电河古称濡水，因其流经元上都，在蒙古语中称"相德因高乐"，意为"上都河"，"闪电河"应该是"上都河"谐音而来。

闪电河是滦河的源头，发源于河北沽源与丰宁两县交界的图固尔山（又称小梁山），九曲十八弯穿山越岭，迤逦前行。

河湖纵横 166

◎ 闪电河/李颂 摄

湿地惊艳 第四单元 167

2. 燕赵最美湿地

千百年来，闪电河像一个乳汁丰沛的母亲，哺育了一片广袤无垠的大草原，那就是内蒙古高原南缘，一个水域面积约六十万亩的湿地大草原——张家口坝上湿地大草原。它是内蒙古锡林郭勒大草原重要的组成部分，也是距北京最近、保存最完整的大草原。张家口坝上湿地大草原横贯沽源县城东部，南起闪电湖南部湿地，北至草原湖北部湿地，为狭长区域。闪电河贯穿其南北。

张家口坝上湿地，分布在坝上张北县、康保县、沽源县、尚义县境内，其中，坝上沽源闪电河湿地具有较强的典型性和代表性。

湿地是位于陆生生态系统和水生生态系统之间的过渡性地带，土壤浸泡在水中的特定环境，恰好受一些物种欢迎。有两百多种耐寒的旱生多年生草本野生植物在坝上闪电河湿地安家。而这些植物又是水鸟、两栖类动物，以及很多濒危野生动物的美食。大批的候鸟和野生动物被吸引到这里繁殖、栖息。

◎ 右页图　闪电河畔大草原／视觉中国　供图

湿地惊艳

169 第四单元

河湖纵横

◎ 左页上图　中华秋沙鸭低空飞行／视觉中国　供图
◎ 左页下图　准备入水的鸿雁／视觉中国　供图

　　每年的4月上旬到5月上旬、9月初到11月下旬，成群结队的候鸟从北面西伯利亚和东北地区南迁越冬，从南面的河南、山东一带汇聚到这里度夏。这里成了它们的中转休憩站。它们欢快地在草地上觅食，在蓝天中飞翔，在湖面上嬉戏。这些候鸟中既有国家一级重点保护动物黑鹳、大鸨、中华秋沙鸭、金雕，也有国家二级重点保护动物大天鹅、小天鹅、鹗、草原雕、长耳鸮，还有世界上最大的小天鹅迁徙种群。

　　每年春秋开河、封河之季，上万只小天鹅由贝加尔湖往返鄱阳湖途经这里，栖息月余。而长鹭、白鹭和鸭类等，通常在每年的5、6、7月到这里做客。豆雁、鸿雁在蓝天翱翔的雄姿倒映在湖面上，美不胜收。

　　张家口坝上闪电河湿地为鸟儿们提供了一个欢乐的天堂，鸟儿们也以它们曼妙的身姿装点着美丽的湿地大草原。

3. 湿地公园建设

作为河北省第一个国家级湿地公园，闪电河国家湿地公园建设十分完善。湿地公园水系主要由闪电河、五女河、闪电湖、草原湖等构成，划分为草原湖湿地保育区、闪电河湿地与植被恢复区、闪电湖休闲娱乐区、闪电河东侧山地综合管理区四大功能区和草原湖鸟类观赏小区、闪电河漂流小区、闪电湖水上娱乐活动小区等八个小区。

闪电湖和草原湖分别镶嵌于湿地公园南北两端，蜿蜒曲折的闪电河从中间穿过。草原湖湿地是珍稀鸟类栖息、停留、繁殖的主要区域，每年都会有成千上万的候鸟到这里觅食、栖息。草原湖湿地保育区内设有观鸟园，惊鸿艳影倒映湖面，追逐嬉戏装点草滩，令人目不暇接。

闪电河国家湿地公园气候宜人，特别是夏天，平均气温不足十八摄氏度，是消夏避暑的好去处。

◎ 右图　闪电湖／郑新江　摄

湿地惊艳 173

河湖纵横

贰 >> 小滦河国家湿地公园

"天似穹庐，笼盖四野。天苍苍，野茫茫，风吹草低见牛羊。"草原森林交织成的绿毯扑向天际，蜿蜒曲折的小滦河如蓝色绸带一般在绿毯间轻舞。

"塞外明珠"果然名不虚传。

小滦河国家湿地公园位于围场满族蒙古族自治县御道口镇御道口村，以得天独厚的地理位置、自然环境，承担着涵养京津冀水源地、阻止浑善达克沙地南移、维护坝上地区生物多样性的光荣任务。

天蓝，水清，一只只美丽的"孔雀"趴在水边嬉戏，走近一看才发现这是一丛丛油光发亮的水草，被水流冲刷掭到一起，形成了孔雀尾羽的形状。它叫水毛茛，只有在

◎ 左页上图　余晖掩映下的小滦河国家湿地公园／王福利　摄
◎ 左页下图　小滦河国家湿地公园明媚如画／视觉中国　供图

◎ 右页上左图　鸳鸯/视觉中国　供图
◎ 右页上右图　黑鹳/视觉中国　供图
◎ 右页中图　白枕鹤/视觉中国　供图
◎ 右页下组图　大鸨/视觉中国　供图

水质极好的环境下才会生长。这汪清流便是滦河的支流小滦河。

河流是生命之源。小滦河在河北省的最北部，塞罕坝茂密的森林中，欢快地蜿蜒西去，流经御道口风景区时折向南行。

它以丰沛的水源孕育了坝上近四百平方千米的土地。

小滦河国家湿地公园就是镶嵌在这片大地上的明珠。

在这里，人们口渴了就俯身掬起一捧水直接饮用，清冽甘甜，沁人心脾，因为小滦河的水源已经达到了三级饮用水的标准。每年有两亿多吨的小滦河水源源不断地流向天津，成为天津永不干涸的水源地。

小滦河国家湿地公园有一千多种高等植物、三百多种陆生脊椎动物、近一千种昆虫，还有极其珍稀的黑鹳、大鸨、白枕鹤、鸳鸯等飞禽，最令人津津乐道的是，极其珍稀的"活化石"细鳞鲑也生活在这里。

湿地惊艳 第四单元 177

河湖纵横 178

◎ 左上图　向日葵花海/视觉中国　供图
◎ 左下图　格桑花花海/视觉中国　供图

　　细鳞鲑是我国特有的品种，已经被列入《中国濒危动物红皮书》。它喜欢在温度较低、水质优良的河川中生活。森林草原腹地的小滦河，是细鳞鲑繁衍的绝佳场所。这里也是细鳞鲑在河北唯一的家。

　　提到细鳞鲑就不能不提到河柳林。河柳林像细鳞鲑一样，是小滦河流域独有的。它的枝叶和须根，为细鳞鲑提供了生存、繁衍的优良环境。河柳顾名思义，与河水相伴相生。小滦河两岸生长的河柳，最高不过三米，树冠呈半球形，根系发达，能有效保护堤坝。数百年来，小滦河孕育了河柳，河柳也涵固了河道和湿地，和其他约四百种高等植物，一起为北京阻沙源，为天津涵水源。

　　小滦河国家湿地公园便是全国唯一以河柳林、细鳞鲑为保护重点的国家级湿地公园。

　　如今的小滦河国家湿地公园，郁郁葱葱，水鸟成群，花草飘香，一派生机盎然。沿着公园主路上山到达山顶区观景台，便可俯瞰景区全貌。最吸引眼球的是与天际相接的黄灿灿的向日葵花海。彩色的格桑花、紫色的水流、明黄色的播娘蒿和淡黄色的八宝景天错落有致地织成锦绣花毯，一座座造型别致的风车点缀其间。

叁 >> 康巴诺尔国家湿地公园

遗鸥蹁跹,湖光潋滟。美丽的康巴诺尔国家湿地公园,是河北旅游胜地之一。

康巴诺尔,一个充满诗意的名字,它的蒙语意思是美丽的湖泊。康巴诺尔湿地公园位于康保县县城南缘,四面环山,是生态系统较为完整的天然湖泊湿地。在北方干旱地区,这里作为以内陆咸水湖和咸水沼泽为主的高原湖泊湿地,具有特殊性、典型性和重要性。

据相关部门探测,康巴诺尔湖内有一泉眼,一年四季流水不断,是康巴诺尔湖永不枯竭、青春永驻的源泉。

康巴诺尔湖到底有多美?美丽的遗鸥知道。

遗鸥,是20世纪20年代才被人类认识和发现的濒危候鸟,其名意为遗忘之鸥,是国家一级保护动物。它们生性胆小、敏感,只喜欢在湖泊周边的浅滩栖息,对水质、环

◎ 右页图　栖息在康巴诺尔的遗鸥／视觉中国　供图

湿地惊艳 第四单元

境要求很高，因此生存困难，数量稀少。2014年，人们在康巴诺尔湿地公园的湖心岛发现了遗鸥，并且数量越来越多。每年4—5月，数千只遗鸥从渤海湾飞至康巴诺尔国家湿地公园，并在这里栖息繁殖。2017年康保县被中国野生动物保护协会授予"中国遗鸥之乡"荣誉称号。据统计，2022年遗鸥数量已经达八千八百只。

目前，康巴诺尔湿地公园共有野生植物九十种。除遗

鸥外，康巴诺尔湿地公园还有着黑鹳、东方白鹳等九种国家一级保护动物，以及小天鹅、大天鹅、灰鹤等近二十种国家二级保护动物，约一百四十六种十万只水鸟共同生活在这里。

到这里探访一望无垠的大草原，领略康巴诺尔国家湿地公园盛景，和遗鸥、天鹅近距离接触，再欣赏一场原汁原味的"二人台"，一定不虚此行。

◎ 下图　康巴诺尔湖／陈亮　摄

扫码听书

扫码看视频

第五单元

冀景撷英

河湖纵横 186

白洋淀

◎ 下图　白洋淀／视觉中国　供图
◎ 右页图　白洋淀日出／周晓玲　摄

白洋淀，华北平原上最大的湖泊，有"华北明珠"之称。熙春，满淀碧翠；盛夏，蒲绿荷红；金秋，芦荡飞雪；隆冬，坦荡无垠。抗日战争时期，著名的水上游击队——雁翎队便活动于此。

衡水湖

◎ 左页图　衡水湖燕鸥桥／视觉中国　供图
◎ 上图　衡水湖白鹭和黑翅长脚鹬和谐相处／霍恒茂　摄

　　衡水湖，俗称"千顷洼"，是仅次于白洋淀的华北平原第二大淡水湖。衡水湖国家级自然保护区，是华北平原上唯一保持着沼泽、水域、滩涂、草甸、森林的湿地。它的生态系统非常丰富，栖息着无数美丽的生灵。

岗南水库

◎ 左页上图　岗南水库航拍／视觉中国　供图
◎ 左页下图　岗南水库水波浩渺／王寒飞　摄
◎ 右图　俯瞰岗南美如画／李建民　摄

岗南水库位于河北省平山县境内，地处太行山东南翼和滹沱河中游，其西岸为革命圣地西柏坡。岗南水库作为石家庄饮用水水源地，其水质清澈、甘甜。库区水波浩渺，青山环绕，雨后库边青山若隐若现。

桑干河

桑干河是永定河的上游之一，海河的重要支流。桑干河大峡谷，位于河北省张家口市西北，距北京约一百五十千米。桑干河两岸埋藏着许多与中华民族生存发展有关的史前遗址，是中华文明的发祥地之一。

◎ 下图　桑干河大峡谷航拍／视觉中国　供图
◎ 右页上图　夕阳照在桑干河上／张利娟　摄
◎ 右页下图　桑干河冬韵／田程辉　摄

冀景撷英 第五单元

拒马河

拒马河源头位于河北省涞源县境内，是河北省内唯一长年不断流的河流。拒马河景区气候凉爽、群峰吐翠、碧潭泉涌、万壑竞秀，是太行山深处绝好的旅游胜地。

◎ 左页上图　拒马河河水蜿蜒／刘红根　摄
◎ 左页下图　拒马河山水相映／视觉中国　供图
◎ 下图　拒马河静谧清幽／视觉中国　供图

潘家口水库

潘家口水库，又名塞外蟠龙湖，是华北地区的重要水库之一。在它的身下暗藏着中国唯一的一段水下长城——喜峰口长城。这里可以欣赏到清代"口外八景"中的都山积雪、万塔黄崖、独木仙桥、鱼鳞叠锦四大景观。

◎ 右页组图　潘家口水库／视觉中国　供图

冀景撷英 第五单元 197

易水湖

　　易水湖，位于保定市西北部，是北方罕有的青山碧水、高峡平湖。它上连"拒马奔涛"，下启"易水寒流"，南望"郎山竞秀"，北界"云蒙叠翠"。湖水温柔缱绻，两岸高山耸峙，山势雄奇险峻，林木繁盛茂密，空气洁净无尘。

◎ 右页组图　易水湖／视觉中国　供图

冀景撷英 第五单元 199

京娘湖

◎ 左页图　夏日京娘湖／赵政雄　摄
◎ 上图　雪后京娘湖／宋现彬　摄

　　京娘湖，位于河北省邯郸市武安市，国家4A级旅游景区、国家级森林公园、国家水利风景区、国家地质公园。京娘湖湖面呈倒"人"字形，分东西两支。这里山水环绕，群峰竞秀，层峦叠嶂，川谷深幽，林木茂盛。

2